Eliza
Caroline Cooke

Written by
Jenny Jamieson

Illustrated by
Boris Lee (Lí Sîn-hô)

Taiwanese Consultant
Tân Kim-hoa

Taiwanese P.O.J Translator
Ling-I Jessica Su (Sơ Lêng-gî)

Taiwanese Proofread
Ngô̍ Ka-bêng (Hê-bí)

Mandarin Translator
Robert R Redman (周長志)

About 190 years ago in Africa, women and slaves were not treated nicely; they were not allowed to attend school or make their own choices. Sometimes, they were forced to work and live in a terrible environment. On 5 December 1828, a baby girl was born to a British businessman's family in Cape Town, South Africa, Her parents were Presbyterian christians. They often joined the church charity centre to help the women and slaves fight injustice and unfair treatment. So they decided to name their first and only daughter Eliza Caroline Cooke, after the famous feminist and abolitionist author Eliza Fenwick.

Tāi-iok tī chi̍t pah káu cha̍p (190) tang chêng ê Hui-chiu (Africa), siā-hōe khoân-kéng tùi cha-bó͘-lâng kap lô͘-lē chin khe-ché. In bē-tàng khì tha̍k-chheh á-sī soán-te̍k ka-kī siūⁿ-beh chò ê tāi-chì. Ū sî in koh ē siū lâng khi-hū kap khó͘-to̍k, tī chin-bái ê khoân-kéng lāi-té chò khang-khòe kap seng-oa̍h. It-pat jī-pat-nî, cha̍p jī goe̍h chhe gō͘ (1828/12/05), ū chi̍t-ê cha-bó͘ eⁿ-á chhut-sì, tī Lâm-hui (South Africa) Khé-phuh Thāu-ǹg (Cape Town) ê chi̍t-ê Eng-kek-lân (England) seng-lí lâng ê ka-têng. I ê pē-bú lóng sī Tiúⁿ-ló kàu-hōe ê ki-tok-tô͘.

In ka-ji̍p kàu-hōe ê chû-siān tiong-sim, pang-chān hū-jîn-lâng kap lô-lē chò-hóe tùi-khòng put kong put gī ê tāi-chì. Só͘-í in koat-tēng beh kā in thâu chi̍t ê, mā sī uî-it chi̍t ê cha-bó͘-kiáⁿ, tòe I-lâi-sa Hún-ui-khoh (Eliza Fenwick) ê miâ lâi ka hō-miâ, hō chò I-lâi-sa Khé-lo͘-làn (Eliza Caroline Cook).

They hoped Eliza could learn from her and understand that "everyone is equal, no matter their social background, race, or gender. Everyone deserves the unconditional love from God."

While living in South Africa, Eliza learnt the importance of cultural diversity and how to respect wildlife. She learnt how to act calmly when meeting the big five* in the jungles and cope with the hot and humid weather in the African summer.

That was her best childhood memory. Unfortunately, Eliza's father was not so lucky in his business, and Eliza had to move to London with her family, when she was 10 years old. She got baptised at Saint Benet Paul's Wharf Church.

The big five are the five most giant animals in Africa, which are the lion, leopard, rhinoceros, elephant, and Cape buffalo.

In ǹg-bāng I-lâi-sa ē-tàng hiòng chit-ê chok-ka ha̍k-si̍p, liáu-kái "lâng-lâng pêng-téng, bô lūn siā-hōe pōe-kéng, chéng-cho̍k, sèng-pia̍t, múi chi̍t ê lâng lóng eng-tong tit-tio̍h Siōng-tè bô tiâu-kiāⁿ ê ài."

Tī Lâm-hui seng-oa̍h ê chit toān sî-kan, I-lâi-sa liáu-kái tio̍h bûn-hòa ê to-goân-sèng hâm tiōng-iàu-sèng. Koh ū án-chóaⁿ chun-tiōng iá-seng tōng-bu̍t. I o̍h tio̍h tī hong-kau iá-gōa tú-tio̍h Hui-chiu ngó͘-pà* ê sî, beh án-chóaⁿ pó-chhî léng-chēng lâi bīn-tùi gûi-hiám, hō͘ ka-tī khah koàn-sì Hui-chiu joa̍h--lâng sio-joa̍h koh sip ê thiⁿ-khì. He sī i sè-hàn ê sî siōng súi ê kì-tî. Chin put-hēng, I-lâi-sa in lāu-pē ê seng-lí keng-êng liáu bô hó, tī I-lâi-sa cha̍p (10) hòe ê sî, i ko͘-put-jî-chiong kin-tòe in chhù-lāi-lâng, poaⁿ tńg-khì Lûn-tun (London), Bóe-chhiú tī Sèng Bō-né Bé-thâu (Saint Benet Pauls Wharf) kàu-tn̂g lâi niá-siū sé-lé.

---

*Ngó͘-pà sī Hui-chiu ngó͘ chióng siōng tōa hêng ê tōng-bu̍t; ū sai, pà, sai-gû, chhiūⁿ kap chúi-gû.

Eliza's father wished her to become a modern and self-sufficient woman, so he sent her to a girls boarding school in England when she was 13 to receive the best education.

I-lâi-sa ê lāu-pē kià-bāng i ē-tàng chò chit ê ū chū-sìn ê sin-sî-tāi lú-sèng. Só-pái tī i chap-saⁿ (13) hòe ê sî, tóh kā i sàng khì Eng-kek-lân chit keng cha-bó-gín-á ê kià-siok hak-hāu, hō i chiap-siū siōng-hó ê kàu-iok.

Later, Eliza went to a governess training school in Edinburgh and became a governess in a muslin grocer's house in Greenock, Scotland.

While living in Greenock, Eliza visited the church every Sunday and sometimes helped with Sunday school and the church charities. The minister Rev. William Laughton introduced the English teacher, Mr Hugh Ritchie, to Eliza.

Soon, they fell in love with each other. They decided to get married when Hugh finished his studies at Glasgow University and the missionary training at the English Presbyterian College in London.

Bóe-chhiú I-lâi-sa ū khì chit-keng tī Ài-teng-pó (Edinburgh) choan-bûn leh pôe-hùn ka-têng kàu-su ê hák-hāu chò lāu-su. Pēng-chhián tī Soʻ-kek-lân (Scotland) ê Kêk-lîn Noʻ-khek (Greenock) lāi chit-keng chò iù-pòʻ ê kám-á-tiàm chò ka-têng kàu-su. Tòa tī Kêk-lîn Noʻ-khek ê sî, I-lâi-sa ták ê lé-pài lóng ē khì kàu-tn̂g, ū-sî iā ē pang-chān chú-jit-óh kap kàu-tn̂g ê chû-siān choʻ-chit. Thàu-kòe Ui-liâm Lau-tn̂g bók-su (Rev. William Laughton) ê siāu-kài, I-lâi-sa sek-sāi chit-ūi Eng-bûn lāu-su, Hiu Lí-kî (Hugh Ritchie) sian-sin. Nn̄g lâng hoʻ-siong ū ì-ài, in koat-tēng tán Lí-hiu tāi-hák pit-giáp oân-sêng tī Lûn-tun Eng-kek-lân Tiún-ló-hōe hák-īn ê thoân-kàu-sū pôe-iók hùn-liān liáu-āu, in tioh phah-sǹg beh lâi kiat-hun.

On 1 July 1867, Eliza married Rev. Hugh Ritchie in Glasgow with lots of blessings and love from their family and friends. After the wedding, Rev. Ritchie announced: "Two weeks later, Eliza and I will take a ship and sail along Africa, around the Cape of Good Hope, then continue crossing the Indian Ocean, finally arriving at my missionary post, Formosa (now Taiwan)."

While the guests were whispering about their decision, Eliza said: "Don't worry, my family and friends, God has prepared me well. I grew up in South Africa, I am used to the hot weather and am not afraid of meeting people from different cultures. I am a good and quick learner, also well-educated, too. I can work independently, and I am confident to be Hugh's best hand at his work."

That night, everyone came to say goodbye to Eliza and Rev. Ritchie. They gave their sincere regards and wishes for the couple's new adventure in Formosa.

Formosa is a small island nation in the Far East; it was named by the Portuguese sailors when they first discovered the island. The first words they said were: "Ila Formosa, Formosa, what a beautiful island."

It-pat liok-chhit-nî chhit goeh chhe it (1867.7.1), tī chiòng-lâng ê chiok-hok chi hā, I-lâi-sa tī Kek-la-su-koh (Glasgow) kap Lí-hiu bok-su kiat-hun. Hun-lé kiat-sok liáu-āu, Lí-hiu bok-su soan-pò· kóng, "Nñg lé-pài āu, góa beh kap I-lâi-sa chē chûn-á, ùi Eng-kok chhut-hoat, seh kòe Hó-bōng-kak (Cape of Good Hope), chhng kòe Ìn-tō·-hái, chòe-āu khì-kàu góa beh thoân-kàu ê só·-chāi, "Formosa"(Tâi-oân) ."

Tng tong-sî, hiān-tiûⁿ ê lâng-kheh tùi in ê koat-tēng lóng leh chhi-chhí-chhū-chhū ê sî, I-lâi-sa sûi kóng, "Chiòng chhin-iú, bián hoân-ló. Siōng-tè í-keng ûi goán chhoân hó-sè--ah. Góa tī Lâm-hui tōa-hàn, í-keng koàn-sì sio-joah ê thiⁿ-khì, mā m̄-kiaⁿ sek-sāi bô-kāng bûn-hòa ê lâng. Góa hak-sip lêng-lek kín koh hó, mā ū siu kòe hó ê kàu-iok. Góa ē-sái tok-lip chò-sit. Góa ū sìn-sim chò Lí-hiu ê hó chō·-chhiú."

Tong-jit hit-mê, tak-ê liok-liok-siok-siok lâi hiòng I-lâi-sa kap Lí-hiu bok-su sio-sî, mā ūi in chit-tōaⁿ lú-tô· lâi kî-tó, chiok-hok, ǹg-bāng lú-tô· pêng-an sūn-sī. Formosa sī tī Oán-tong chit-ê sè-sè ê tó-sū. Phô-tô-gâ (Portuguese) ê kiâⁿ-chûn-lâng sī siōng tāi-seng hoat-hiān--ê. Formosa sī in só· hō ê miâ. In khòaⁿ tioh chit ê só·-chāi ê sî, só· kóng ê tē it kù ōe, toh sī "Ila Formosa!" Ì-sù sī, "Hiah-nī súi ê tó-sū--a!"

While onboard, Eliza got pregnant, it was not a pleasant journey for her. They had a tiny space to sit and sleep because it was packed with products, animals, and passengers. Life was very inconvenient on the clipper ship, especially when using the toilets or bathing. However, Eliza didn't complain, she used the time to study Taiwanese and the Bible. When the weather allowed, she walked with Rev. Ritchie on the deck and looked for whales and dolphins swimming alongside the ship.

I-lâi-sa tī chûn téng ê sî ū sin; só͘-í chit-tōaⁿ lú-tô͘ tùi i lâi kóng, pēng bô khin-sang. Tī chûn téng, bô-lūn sī chē, iā sī khùn ê khong-kan, lóng chin éh. Chûn-á chài chin chē mi̍h-kiāⁿ kap lâng, chài kah tīⁿ-móa-móa. Tī chûn téng ê seng-oa̍h bô sáⁿ sù-sī, iû-kî sī beh khì piān-só͘, á-sī sé sin-khu. M̄-koh I-lâi-sa mā bô oàn-thàn. I tian-tò lī-iōng chit tōaⁿ sî-kan, o̍h Tâi-gí hām sèng-keng. Thiⁿ-khì hó ê sî, i ē kap Lí-hiu bo̍k-su tī kah-pán téng sàn-pō͘, chhōe hái--ni̍h hâm chûn-á chò-hóe siû-chúi ê hái-ang kap hái-ti.

11

After nearly 140 days of travel, they arrived at Takao, Formosa (now Kaohsiung, Taiwan).Dr James Laidlaw Maxwell greeted them at the harbour and helped with their luggage.

"Finally! I have heard the sea between Formosa and Penghu Island is very dangerous. I am so glad you two arrived safely," he said.

"Thank you, Dr Maxwell. I see that the missionary building and the medical clinic are nearly done."replied Rev. Ritchie.

"Yes! It will be our first church and medical clinic in Formosa." Dr Maxwell replied.

Keng-kòe chiong-kīn chi̍t-pah sì-cha̍p (140) kang, in chóng-sǹg kàu Tâi-oân Tá-káu--ah. Tio̍h-sī hiān-chhú-sî lán ê Ko-hiông (Kaohsiung). Má-ngá-kok (James Laidlaw) i-su tī káng-kháu gêng-chiap--in, thè in kōaⁿ hêng-lí. I kóng: "Lín chóng-sǹg kàu-ūi--ah! Thiaⁿ-kóng tī Formosa kap phêⁿ-ô͘ tó tiong-ng ê hái-he̍k chin gûi-hiám. Chin hoaⁿ-hí lín nn̄g lâng pêng-an kàu-ūi." Lí-hiu bo̍k-su ìn kóng, "Má-ngá-kok i-su, to-siā--lí. Góa khòaⁿ thoân-kàu-sū khí ê kàu-tn̂g kap chín-só͘ lóng tit-beh oân-kang--ah!" Má-ngá-kok i-su móa-pak kám-kek kóng, "Bô m̄-tio̍h! Che sī lán tī Formosa thâu chi̍t keng kàu-tn̂g kap chín-só͘!"

Eliza and Rev. Ritchie often wrote letters home to share what they saw during the journeys when they travelled around Formosa. They wrote:

I-lâi-sa kap Lí-hiu bo̍k-su tiāⁿ-tiāⁿ siá-phoe tńg-khì kò͘-hiong kap lâng hun-hiáng in tī Tâi-oân lú-hêng só͘ khòaⁿ--tio̍h ê tāi-chì:

"Formosa is well worthy of its name. The island consists of magnificent hills and mountains, it snows on the high mountains in winter as well. When we walk between the villages, it makes us feel like we are in Scotland. However, the weather is very different from home, especially in summer; there are always typhoons, heavy rains, spectacular lightning, and thunderstorms. You may enjoy all kinds of fruit all year round"

"In the forest, we must be careful not to meet the black mountain bears, wild boars, mud volcanoes, but many colourful butterflies and birds were flying around, which made us feel like we were in paradise."

"People here were very friendly, and they treated us like family. Eliza often drew special attention from the local women when visiting the villages. They were very curious about her lace skirt, and there was one time the local women even pulled over her skirt to check what was hidden inside. We taught them how to sing the Scottish folk songs, 'There is a happy land' and 'How sweet the name of Jesus sounds' in their language. When they were singing the tunes, it made us feel like we were home."

Dragon

Mang

Rose Ap

"Formosa chit ê số-chāi chin-chiàⁿ miâ hahh sū-sit. Tó lāi sī iû chòng-lē ê lūn-á kap soaⁿ-mêh chơ sêng--ê. Kôaⁿ--lâng ê sî, soaⁿ-téng mā ē lohh-seh; goán tī chng-kha teh kiâⁿ-tah ê sî, tiohh chhin-chhiūⁿ tī Sơ-kek-lân. M̄-koh joahh--lâng ê thiⁿ-khì kap lán kờ-hiong chin bô kāng, tiāⁿ-tiāⁿ ū hong-thai, lohh-tōa-hơ̄, koh ū lûi-kong sih-nah kèⁿ-kèⁿ-kiò. Tī chia kui-nî-thàng-thiⁿ lóng ē-tàng chiahh tiohh kok-chióng hó-chiahh ê kóe-chí.

Tī chhiū-nâ lāi, ài sè-jī, hoān-sè ē khì tú-tiohh ơ-hîm, pà, soaⁿ-ti kap kún-chúi-bohh-á. Koh ū chin-chē ngố-hoe-chahp-sek ê iahh-á kap chiáu-á sì-kè poe, hơ̄ gún kám-kak chhin-chhiūⁿ tī thian-tông hiah-nī-á súi." "Chia ê lâng lóng chin iú-siān, in kā gún tòng-chò chhin-lâng án-ne tùi-thāi. I-lâi-sa khì chham-koan chng-siā ê sî-chūn, tiāⁿ-tiāⁿ ín-khí tong-tē hū-jîn-lâng ka chù-ì, in tùi I-lâi-sa ê chhēng-chhah chin him-siān, tek-piahh sī tùi ū lè-suh ê kûn chiok hòⁿ-hiân. Ū chhit piàn, chhit ê tong-tē hū-lú, sîm-chhì khì hian i ê kûn, siūⁿ-beh khòaⁿ kûn lāi-té sī m̄ sī ū chhàng mih-á." "Gún iōng Tâi-gí kà in chhiờⁿ nñg tè Sơ-kek-lân ê bîn-iâu "Hia-ū chhit ê khoài-lohh ê tố-sū", kap "lâ-sơ ê miâ chin tiⁿ-bhit". Thiaⁿ tiohh in ê koa-siaⁿ, tiohh chhin-chhiūⁿ tī kờ-hiong kāng-khoán."

Hóe-liông-kó

soāiⁿ-á

Lián-bū

Eliza gave birth to two boys in Takao. The older son, William Laughton Ritchie, was named after Rev. Ritchie's teacher, Rev. William Laughton. The younger son, Robert Hugh Ritchie, was named after his grandfather and father. Sadly, Robert died at the age of three of an unknown disease and was buried in Takao Foreign Cemetery. A year later, William suffered from an illness similar to that which killed his younger brother. "Oh, my poor boy, Willy, we must take you back to England to let the doctor examine you properly," said Eliza. "I think it must be the hot and humid weather; it is tough for European children to get used to it," said Rev. Ritchie. Eliza and Rev. Ritchie rushed William back to England to save his life, and he recovered as soon as he left Formosa.

I-lâi-sa tī Tá-káu seⁿ nn̄g ê cha-po͘ gín-á. Tōa-hàn hāu-seⁿ hō chò Ui-liâm Lau-tn̂g Lí-kî (William Laughton Ritchie). Sè-hàn hāu-seⁿ tio̍h iōng in a-kong kap lāu-pē ê miâ, hō chò Lô-pek Hiu Lí-kî (Robert Hugh Ritchie). M̄-koh, chin put-hēng, Lô-pek tī saⁿ (3) hòe ê sî, tio̍h kòe-sin--khì, i tâi tī Tá-káu ê gōa-kok lâng kong-bōng. Chi̍t tang āu, Ui-liâm mā khì òe tio̍h kap in sió-tī sio-kâng ê pēⁿ. "Góa khó-liân ê kiáⁿ, Ui-lí (Willy), goán it-tēng ài chhōa lí tn̄g-khì Eng-kek-lân hō͘ i-seng khòaⁿ, hó-hó-á kiám-cha!" I-lâi-sa án-ne kóng. Lí-hiu bo̍k-su "Góa jīn-ûi sī khì-hāu ê koan-hē, tì-sú gín-á bē si̍p-koàn." I-lâi-sa kap Lí-hiu bo̍k-su kóaⁿ-kín sàng Ui-liâm tn̄g-khì Eng-kek-lân tī-liâu. Ui-liâm chi̍t ē lī-khui Formosa, pēⁿ tio̍h hó--ah.

After two years with William in the UK, Eliza and Rev. Ritchie returned to Formosa at the end of 1877 and continued the busy missionary work. "Mummy, Daddy, I wish I could go back to Formosa with you," said William. "I wish to take you with us, my lad, but the weather will kill you as you are too little to fight the germs," said Eliza. "Be strong, Willy! I have asked Mr Barbour and Mrs Simpson to look after you while we are away. You will enjoy the boarding school in Edinburgh with your friends. We will write you lots of letters and send you lots of presents," said Rev. Ritchie. It was depressing to say goodbye to his parents, especially for a nine-year-old boy. William gave his parents a huge hug. He didn't know it would be the last time he would see his father.

Keng-kòe nñg tang, tī Eng-kok pôe-phōaⁿ Ui-liâm ê jit-chí, I-lâi-sa kap Lí-hiu bȯk-su tī it-pat chhit-chhit nî (1877) tńg-khì Tâi-oân, kè-siȯk chò thoân-kàu ê jīm-bū. Ui-liâm kóng, "A-pah, a-bú, góa hi-bāng ē-tàng kap lín tńg-khì Formosa." I-lâi-sa tùi hāu-seⁿ kóng, "A-kiáⁿ--eh, góa mā chiok siūⁿ beh chhōa lí chò-hóe khì, m̄-koh lí koh sè-hàn, hiah-nī joȧh ê thiⁿ-khì, koh ū bái-khín, lí ē tòng bē tiâu." Lí-hiu bȯk-su tùi Ui-liâm kóng, "Khah pa-kiat--leh! Góa í-keng ū pài-thok Bá-boh (Barbour) sian-siⁿ kap Sím-phȯh-seng (Simpson) thài-thài thè gún hó-hó-á chiàu-kò·--lí. Lí kap lí ê pêng-iú hòng-sim-á khì Ài-teng-pó (Edinburgh) ê hȧk-hāu thȧk-chheh. Gún ē tiāⁿ-tiāⁿ siá phoe, koh kià chiok chē lé-mi̍h hō·--lí." Tùi chit ê chiah káu (9) hòe ê cha-po· gín-á lâi-kóng, i tio̍h-ài kap i ê pē-bú hun-khui, che sit-chāi sī chin kan-khó· ê tāi-chì. Jî-chhiáⁿ i mā m̄ chai-iáⁿ, che sī i chòe-āu chit piàn kìⁿ tio̍h in lāu-pē.

When Eliza returned to Formosa, she decided to contribute more time to help the local people understand the Bible without William staying close to her. She started the first Sunday school there to teach women and children how to read and write in Pėh-ōe-Jī so that they could study the Taiwanese Pėh-ōe-Jī Bible by themselves.

---

*Pėh-ōe-Jī is a modified Latin alphabet and some diacritics to represent the spoken Taiwanese languages. It is also as known as Church Romanisation.

Ui-liâm bô tī sin-khu piⁿ liáu-āu, I-lâi-sa koat-tēng beh hù-chhut lú-chē ê sî-kan lâi pang-chān tong-tē ê lâng lâi sėk-sāi sèng-keng. I tī Tâi-oân siat tē it ê chú-jit-ȯh, kà chit-kóa hū-jîn-lâng kap gín-á, án-chóaⁿ thȧk siá Pėh-ōe-jī. Án-ne in tiȯh ē-tàng khòaⁿ-ū Tâi-oân ê Pėh-ōe-jī sèng-keng.

---

*Pėh-ōe-jī sī chit chióng Tâi-oân gí-giân ê bûn-jī hē-thóng, iû La-teng jī-bú kap chit kóa piàn-im hû-hō số chơ-sêng--ê Tâi-oân gí-bûn. Mā hông kiò chò Kàu-hōe Lô-má-jī.

Goān Iâ-hô-hoa sù-hok lí, pó-hō͘ lí;

Goān Iâ-hô-hoa hoaⁿ-hí ê bīn khòaⁿ lí,
siúⁿ-sù lí pêng-an.

Goān Iâ-hô-hoa hō͘ I ê bīn ê kng chiò lí,
si-un hō͘ lí;

21

While travelling around Formosa to teach the women and children, Eliza noticed that women were poorly treated, especially in the Chinese communities. "Come and look at this girl's feet. That must be painful!" Eliza said when she noticed one of the Chinese girls' feet was not in the usual shape. They looked like two tennis balls stuck at the end of the legs. "Yes, I have learned that the locals called them lotus feet. They believed it made the women look attractive. But, in fact, they were using it to control their mobility." Rev. Ritchie sighed. He added, "It was foot-binding, and it was an extremely inhuman torture to women. When the girls were born, their feet would be bound tightly by a long cloth. This would deform and damage their feet permanently so they couldn't walk or run freely. The women had no chance to receive proper education, and they can't live independently, either." "How terrible. It reminds me of the slaves in Africa. The girls mustn't be treated like this. We must help them!" Eliza said with a feeling of deep sympathy. "Perhaps we could build a shelter for them?" suggested Rev. Ritchie. "That would be a brilliant idea. I remember we used to help Rev. Laughton and your uncle Mr. Crawford at the women's learning centre in Greenock."

Eliza agreed excitedly. "Let me write a letter to Mr Mathieson, and I am sure our church in Greenock would like to support this idea too," Rev. Ritchie said confidently.

I-lâi-sa tī Tâi-oân sì-kè kà hū-jîn-lâng kap gín-á ê kòe-têng tiong, hoat-hiān cha-bó͘-lâng siū-tiȯh chin bái ê tùi-thāi, iû-kî tī ū Tn̂g-soaⁿ-lâng ê só͘-chāi. "Lí lâi khòaⁿ hia ê cha-bó͘ gín-á ê kha! He it-tēng chiok thiàⁿ!" I-lâi-sa ū khì chù-ì tiȯh chit ê Tn̂g-soaⁿ cha-bó͘ gín-á ê kha, kap it-poaⁿ lâng--ê bô siáⁿ kâng. I ê kha chhin-chhiūⁿ nn̄g liȧp bāng-kiû tī kha téng. Tong-tē lâng kā che kiò chò liân-hoe kha. In siong-sìn ū chit chióng kha ê cha-bó͘ khah bê-lâng. M̄-koh su-sȯ̍t sī iōng chit chióng hong-sek lâi khòng-chè cha-bó͘-lâng ê hêng-tōng. Lí-hiu bȯk-su kháu-khì oàn-thàn, kái-soeh kóng, "Che tiȯh-sī pȧk-kha. Jî-chhiáⁿ che tùi lú-sèng sī chit chióng chân-jím put jîn-tō ê hêng-ûi. Ùi âng-eⁿ-á chit chhut-sì tiȯh khai-sí, kā in ê kha iōng tn̂g-tn̂g ê pò͘-tiâu lâi pȧk--kha. Che ē chō-sêng in ê kha, éng-kiú piàn-hêng, án-ne in tiȯh bô-hoat-tō͘ hó-hó-á kiâⁿ-lō͘, á sī cháu. Cha-bó͘-lâng bô ki-hōe siū kàu-iȯk, sīm-chì mā bô-hoat-tō͘ tȯk-lȧp seng-oȧh." I-lâi-sa thiaⁿ--tiȯh liáu-āu chhim-chhim tông-chêng chia ê hū-lú. "Che sȯ̍t-chāi chin khióng-pò͘--a! Che hō͘ góa siūⁿ tiȯh tī Hui-chiu ê lô͘-lē". "Chia ê cha-bó͘ gín-á bô eng-kai siū-tiȯh chit khoán ê tùi-thāi. Lán eng-kai ài kā in tàu-saⁿ-kāng." Lí-hiu bȯk-su kiàn-gī kóng, "Lí siūⁿ, lán kám ē-sái ūi in khí chit keng pī-lān-só͘?" I-lâi-sa tông-ì, koh hoaⁿ-hí kóng, "Án-ne chin-chiàⁿ sī chiok hó ê tāi-chì! Góa ē-kì-tit lán kòe-khì kap Lau-tn̂g bȯk-su (Rev. Laughton), Khu-lá-huh (Crawford) sian-siⁿ tī Gu-lí-ne-khoh (Greenock) ê hū-lú hȧk-sȯ̍p tiong-sim tàu-saⁿ-kāng--kòe." Lí-hiu bȯk-su sòa lȯh-khì kóng, "Góa lâi siá-phoe hō͘ Má-tho-sṅg (Mathieson) sian-siⁿ, góa siong-sìn lán tī Gu-lí-ne-khoh ê kàu-tn̂g mā it-tēng ē chi-chhî lán chit ê siūⁿ-hoat."

Tragically, soon after they successfully raised the girls' school funding, Rev. Ritchie died of malaria on 29 September 1879 at the age of 39 in Taiwanfoo, Formosa (now Tainan, Taiwan). "It was a significant loss for us! Rev. Ritchie was the first missionary who successfully set up many churches in south, east, and central Formosa. He even set up the first students' class to train the local missionaries. Without him, who could carry on his work as well as he did?" Rev. David Smith said sadly. "If possible, maybe we should ask Eliza to take over his position," Rev. William Campbell said quietly. "Yes, I believe she would be the best person to do so, as she has been working with Rev. Ritchie closely. She is the toughest woman I have ever seen, both physically and spiritually," said Rev. Thomas Barclay. With great sorrow, the day after Rev. Ritchie's death, Eliza buried her husband in the same place where Robert, their younger son, rested.

She was determined to complete the mission, so Eliza applied and was appointed the first lady missionary in Formosa six months after Rev. Ritchie's death. In spring 1880, she contributed all her life savings, £300, as the first deposit to build the first girls' school in Formosa. The first condition to enter the girls' school was that students should not have foot binding upon enrollment to the school.

Chin put-hēng, tī in sêng-kong bô tiòh chu-kim liáu-āu, Lí-hiu bòk su soah tī i saⁿ-chàp-káu (39) hòe chit nî ê káu goèh jī-káu (9.29), in-ūi tiòh ma-lá-lí-á tī Tâi-lâm óng-seng. "Che sìt-chāi sī lán chin-tōa ê sńg-sit! Lí-hiu bòk-su sī thâu chìt ê tī pó-tó lâm-pō͘, tang-pō͘ kap tiong pō͘ sêng-kong siat-lìp kàu-tńg ê thoân-kàu-sū. I sīm-chì koh siat-lìp tē-it keng hùn-liān tong-tē thoân-kàu-sū ê hùn-liān só. Ká-sú bô i, koh ū siáⁿ-lâng ē-tàng chhiō͘ i chò kah chiah hó?" Té-bit Su-mì-suh bòk-su (Rev. David Smith) chin m̄-kam i lī-khui. Kam Ûi-lîm bòk-su (Rev. William Campbell) kóng, "Ká-sú ū khó-lêng, sī-m̄-sī ē-sái chhiáⁿ I-lâi-sa lâi tāi-thè i ê ūi?" Pa-khek-lé bòk-su (Rev. Thomas Barclay) kóng, "Góa siong-sìn i sī siōng hó ê jîn-soán, i bat kin-tòe Lí-hiu bòk-su chò--kòe, jî-chhiáⁿ i sī chìt ê chin bat tāi-chì, ū kiàn-sek koh ū chú-tiuⁿ ê lú-sèng."

I-lâi-sa tī Lí-hiu bòk-su kòe-óng keh-kang, kā Li-hiu bòk-su tâi tī kap in sè-hàn hāu-seⁿ kâng só-chāi. Tī Lí-hiu bòk-su kòe-sin pòaⁿ-tang āu, I-lâi-sa chiâⁿ-chò tē-it ūi tī Tâi-oân ê lú-sèng thoân-kàu-sū. It-pat pat-khòng nî (1880) chhun-thiⁿ, I-lâi-sa kap i só-khiām ê saⁿ-pah (300) eng-pōng (£) choân pō͘ tâu jìp-khì khai-pān Tâi-oân thâu chìt keng lú-chú hàk-hāu, jìp-òh ê tiâu kiāⁿ tiòh-sī: liòk-chhú í-āu, hàk-seng-á bē-sái pàk-kha.

Life was never easy for Eliza. When the school was half-built, she fell ill and had to return to England. After a short six-month break, Eliza insisted on returning to Formosa to continue her work. However, malaria found her again, and this time, she was too old to cope with it. Eliza said goodbye to her beloved Formosa and returned to Scotland in 1884. Three years later, the first girls' school in Formosa, Tainan Sin-Lau Girls School, finished construction and opened its doors to the girls in Formosa.

M̄-koh thiⁿ put chiông jîn-goān. Ha̍k-hāu iáu-bōe khí hó, i soah phòa-pēⁿ. Ko͘-put-jî-chiong tńg-khì Eng-kok chēng-ióng pòaⁿ-tang. Liáu-āu, i sim-koaⁿ lāi iáu-sī chiok siūⁿ beh kín tńg-lâi Tâi-oân, chiok khòa-ì chit tè thó͘-tē. Bô-nāi chit-piàn i put-hēng koh khì tio̍h-tio̍h ma-lá-lí-á. Jî-chhiáⁿ i nî-hòe mā ū--ah, bô-ta-ôa, chí-hó hiòng i siōng-ài ê Tâi-oân, kóng chài-hōe. Tī it-pat pat-sù nî (1884) tńg-khì So͘-keh-lân, saⁿ tang āu, Formosa tē it-keng lú-chú ha̍k-hāu, Tâi-lâm Sin-Lau Lú-chú Ha̍k-hāu chèng-sek oân-kang, khai-sí chio-seng.

After returning to the Scotland, Eliza lived with her elder son William in Glasgow, and continued teaching and serving in the church until she died on 21 February 1902.

Tńg-khí Eng-kok liáu-āu, i kap i ê tōa-hàn hāu-seⁿ Ui-liâm tòa tī Keh-la-sū-koh (Glasgow). Iû-goán kè-siok tī kàu-hōe ho̍k-bū. Kàu it-kiú khòng-jī nî jī goe̍h jī it (1902.2.21) kòe-óng.

The LORD bless you and keep you ;
the LORD make his face shine on you and be gracious to you ;
the LORD turn his face towards you and give you peace.

Eliza Caroline Cooke (Ritchie), the first female missionary in Taiwan, was also a pioneer of feminism. Her significant contribution to the human rights of Taiwanese women helped and changed Taiwanese women's lives forever.

I-lâi-sa Khé-lơ-làn Lí-kî (Eliza Caroline Ritchie) sī Tâi-oân tē it ê lú-sèng soan-kàu su, kèng-ka sī lú-koân chú-gī ê chiân-hong. I tùi Tâi-oân lú-sèng jîn-koân ū chin tiōng-tāi ê kòng-hiàn. I pang-chān kap kái-piàn Tâi-oân cha-bố gín-á chit sì lâng ê ūn-miā.

Bonus
Chapter

—

Eliza Caroline Cooke Nî-tài pió (timeline)　(1828.12.5–1902.2.21)

1828.12.5. Eliza was born in The Cape of Good Hope, South Africa, to a British merchant's family. Her father and mother (Lancelot Cooke and Maria Augustina) were the first British settlers in the Cape Colony. Eliza's parents, especially her father, were abolitionists because of their strong association with the Presbyterian Church of England. They often helped the women and slaves when treated unfairly and sometimes inhumanly.

It-pat jī-pat-nî, cha̍p jī goe̍h chhe gō͘ (1828.12.5). I-lâi-sa (Eliza) tī Lâm-hūi (South Africa) Hó-bōng-kak (Cape of Good Hope) chi̍t ê Eng-kok seng-lí-lâng ê ka-têng chhut-sì. I ê sī-tōa lâng sī tē-it phoe tī Khé-phoh (Cape) si̍t-bîn-tē ê Eng-kok lâng. I ê lāu-pē sī hùi-tû lô͘-lē chè-tō͘ ê chi-chhî chiá. In kap Eng-kok Tiú͈-ló Kàu-hōe ê koan-hē chin ba̍t.

1828 年 12 月 5 日伊萊莎出生於南非好望角的英國籍商賈世家。爸爸蘭斯洛‧庫克以及媽媽瑪麗亞‧奧古斯緹娜，是第一批自英格蘭移民至好望角殖民地安頓的英國人。伊萊莎的父母，尤其是爸爸，因承襲自英格蘭長老教會背景，強烈支持廢除奴隸制度。他們經常幫助受到不平對待，甚至非人道虐待的婦女以及奴隸。

Eliza's great-grandfather from her grandmother's side, William Gawler, was a composer, a teacher, and an organist for most of his adult life at St Mary's Church in Lambeth, London. This church was attached to Lambeth Palace but was deconsecrated in the 1970s and now houses the Garden Museum. Lambeth Palace is still the London home to the Archbishops of Canterbury, and the crypt in St Mary's Church is the final resting place of a few Archbishops of Canterbury buried there in the 16th and 17th centuries. One of Eliza's great aunts, Ann Gawler, was married to Rev. Dr Thomas Pearce, subdean at His Majesty's Chapel Royal in the late 1700s.

I-lâi-sa ê a-chó͘, Ui-liâm Gáu-loh(William Gawler), sī chi̍t ê chok-khek ka, lāu-su kap kńg-hong-khîm su. Tōa-hàn liáu-āu, i tōa-pō͘-hūn ê sî-kan lóng tī Lûn-tun (London) ê Lâm-pe̍h-su Sèng Má-lì (Lambeth St Mary's) kàu-tn̂g chò-sit. Lâm-pe̍h-su (Lambeth) hông-kiong sī Khián-tek Pek-lí (Canterbury) tōa chú-kàu tī Lûn-tun (London) ê chhù. Sèng Má-lì (St Mary's) kàu-tn̂g ê tē-hā-sek, ū tâi kui-ê-á cha̍p-la̍k (16) kap cha̍p-chhit (17) sè-kí ê tōa chú-kàu. I-lâi-sa ê î-pô chó͘, Ang Gáu-loh (Ann Gawler)

kè hō͘ hông-sek lé-pài-tn̂g ê hù ī͈-tiú͈, Thá-mo-suh Phì-o-suh (Thomas Pearce) phok-sū.

伊萊莎的外祖父威廉 ‧ 高勒是一位作曲家、教師以及成年後一直擔任倫敦蘭貝斯聖瑪莉教堂的管風琴師。這個教堂原本連接蘭貝斯皇宮，1970 年代因故崩壞以後，改建成為花園博物館的房舍。至今，蘭貝斯皇宮仍是坎特伯利大主教在倫敦的住所，聖瑪莉教堂的墓穴是十六、十七世紀時代幾位前任坎特伯利大主教最後安息之地。伊萊莎的一位姑姑，安‧高勒，在 1700 年代嫁給英國皇室禮拜堂的副院長牧師湯瑪士‧皮爾斯博士。

1838.2.8 When Eliza was ten, she went back to London with her family. Her father got a job in the railway company and baptised her at St Benet Paul's Wharf church, London, England.

It-pat sam-pat nî jī goe̍h chhe peh (1838.2.8). I-lâi-sa cha̍p (10) hòe, i kap chhù-lāi lâng chò-hóe tńg-khì Lûn-tun. In lāu-pē tī thih-lō͘ kiok chhōe tio̍h thâu-lō͘. Jî-chhiá͈ tī Eng-kek-lân Lûn-tun, Sèng Bō-né Bé-thâu (St Benet Paul Wharf) ê kàu-hōe hō͘ i niá-siū sé-lé.

1838 年 2 月 8 日伊萊莎 10 歲的時候，因父親經商失敗，隨家人搬回英格蘭。她父親返回英格蘭後，便在倫敦的鐵路公司的工作，同時也讓伊萊莎在英格蘭倫敦聖貝內特保羅碼頭教堂受洗。

1840.9.14. Rev. Hugh Ritchie (later Eliza's husband) was born in Millport, Isle of Cumbrae, Scotland. His mother (Sarrah Crawford) died when he was three years old. After his mother died, his father (Robert Ritchie) married again (Mary Finnie) and didn't live with them. His younger sister Sarah Ritchie was brought up by their uncles, James Crawford (a seaman living in Millport) and William Crawford (a family grocer living in Greenock). When he was 15 years old, he went to his uncle's shop to learn how to be a grocer in Greenock. He attended the church in Greenock, and the church minister, Rev. William Laughton, found that Hugh was very clever and eager to learn divinity. When Hugh was 15, Rev. William Laughton encouraged him to become a minister. He started to work as an English teacher in the church; later, he went to the University of Glasgow and English Presbyterian College in London to study.

It-pat sù-khòng nî káu goe̍h cha̍p-sì (1840.9.14). Hiu Lí-kî (Rev. Hugh Ritchie, I-lâi-sa ê ang-sài) tī Só͘-

kek-lân (Scotland) ê tó-sū Khám-bu-leh (Cumbrae) lāi ê Mé-ố-phờ (Millport) chhut-sì. In a-niâ Sa-la Khu-lá-huh (Sarrah Crawford) tī i saⁿ (3) hòe ê sî óng-seng. In lāu-bó kòe-óng liáu-āu, in lāu-pē Lóa-boh Lí-kî (Robert Ritchie) koh chài chhōa Má-lek Hun-nî (Mary Finnie) liáu-āu, Lí-hiu kap in sió-moāi tiòh bô koh kap in lāu-pē tòa chò-hóe. I kap in sió-moāi, Sa-lá Lí-kî (Sarah Ritchie) hǒ in a-kū Chiàn-mu-suh Khu-lá-huh (James Crawford), Ui-liâm Khu-lá-huh (William Crawford) chhiâⁿ-ióng tōa-hàn. Chảp-ngố͘ (15) hòe ê sî, i tō khì in a-kū ê kám-á-tiàm ỏh chò seng-lí. I khì chham-ka tī Kek-lîn Nǒ͘-khek (Greenock) ê kàu-hōe, Ui-liâm Lau-tùn bỏk-su (Rev. William Laughton) kám-kak i chin khiáu, tỏh kó͘-lē i chò bỏk-su. I khai-sí tī kàu-tn̂g kà Eng-gí. Bóe-chhiú khì Keh-la-sū-koh (Glasgow) tāi-hảk kap Lûn-tun ê Tiúⁿ-ló Kàu-hōe ê hảk-īⁿ thảk-chheh.

1840 年 9 月 14 日李麻牧師（後來為伊萊莎的先生）出生於蘇格蘭坎布雷島的米利坡，媽媽（莎拉·克勞馥）在他 3 歲的時候過世。李麻的媽媽過世以後，爸爸（羅伯特·理奇）再娶瑪莉·芬妮為妻，李麻牧師並沒有與他們一起生活。他和妹妹（莎拉·理奇）由舅舅們扶養長大。舅舅詹姆士·克勞馥是一位在米利坡的漁夫；另一個舅舅，威廉·克勞馥則是一位在格林諾克開設雜貨店的雜貨商。李麻牧師 15 歲的時候到格林諾克，跟舅舅威廉學習雜貨商經營。他在格林諾克參加教會，教會的威廉·勞頓牧師，發現李麻牧師天資聰穎而且對神學有著熱忱。於是，威廉·勞頓牧師鼓勵他朝神學發展。因此，李麻牧師便開始在教會一邊當英文老師，一邊研習神學。隨後繼續在格拉斯哥大學以及英格蘭長老教會書院深造。

1851. Eliza became a governess in Edinburgh Governess' Training School, and in 1861 she moved to Greenock to be a governess in a muslin merchant's house. When she was in Greenock, she met Mr Hugh Ritchie; they lived in the same building and went to the same church (Greenock Free Church of Scotland). Hugh was a full-time English teacher at the church and lived with his sister. Hugh's uncle, William Crawford, and the church minister, Rev. William Laughton, were the church charity committee members. They introduced Hugh to Eliza, and soon they fell in love.

It-pat ngố͘-it nî (1851). I-lâi-sa í-keng chiâⁿ-chò Ài-teng-pó (Edinburgh) ka-têng kàu-su pôe-hùn hảk-hāu ê ka-kàu. It-pat liỏk-it nî (1861), i poaⁿ khì Kek-lîn Nǒ͘-khek, tī chảt ê bē pờ ê seng-lí

lâng chhù-lāi chò ka-kàu. Hit-sî i khì tn̄g-tiỏh Hiu Lí-kî. Hiu Lí-kî sī kàu-tn̂g ê Eng-gí lāu-su, kap in sió-moāi tòa chò-hóe. Hiu Lí-kî ê a-kū Ui-liâm Khu-lá-huh (William Crawford), hâm Ui-liâm Lau-tn̂g bỏk-su (Rev. William Laughton) lóng sī kàu-hōe chû-siān úi-oân-hōe ê sêng-oân. In kài-siāu Lí-hiu hǒ͘ I-lâi-sa sek-sāi, nn̄g lâng chin kín tỏh hǒ͘-siong ì-ài.

1851 年 伊萊莎成為愛丁堡女家庭教師訓練學校的家庭教師，於 1861 年搬到格林諾克成為一家經營絲綢布商的商人之家的女家庭教師。與此同時，伊萊莎便相識了住在同一棟樓，又一同牧會於蘇格蘭格林諾克自由教會的李麻牧師。當時李麻是教會的全職英文老師，與其妹妹莎拉同住。李麻的舅舅威廉·克勞馥以及威廉·勞頓牧師是教會慈善委員會委員。他們正式介紹李麻與伊萊莎相識後不久，兩人便墜入愛河。

1867.7.1 After finishing studies in Glasgow and English Presbyterian College in London, Eliza married Rev. Hugh Ritchie at 4 Darnley Terrace, Shawlands (Eastwood, Renfrew Scotland).
Two weeks later, on 1867.7.14, Eliza and Rev. Hugh Ritchie boarded on ship named "Gresham" and sailed from London and arrived in Hong Kong on 18th November. They spent some time in Amoy to learn the language before they departed for Formosa.

It-pat liỏk-chhit nî chhit goẻh chhe it (1867.7.1), Lí-hiu ùi Keh-la-sū-koh kap Lûn-tun ê Eng-kok Tiúⁿ-ló Kàu-hōe hảk-īⁿ pit-giảp liáu-āu, tiỏh tī Sơ-kek-lân, Darnley Terrace, Shawlands (Eastwood, Renfrew Scotland) hit ê só͘-chāi kap I-lâi-sa kiat-hun. Nn̄g lé-pài āu, it-pat liỏk-chhit nî chhit goẻh chảp-sì (1867.7.14), nn̄g lâng ùi Lûn-tun chhut-hoat chē chảt chiah hō chò Gu-lé-sàm (Gresham) ê chûn, tī it-pat liỏk-chhit nî chảp-it goẻh chảp-peh (1867.11.18), khì kàu Hiong-káng (Hong Kong). Lâi Tâi-oân chìn-chêng, in ū seng tī Ē-mn̂g (Amoy) thêng chảt-chām-á ỏh Tâi-gí.

1867 年 7 月 1 日李麻結束在格拉斯哥大學以及英格蘭長老教會書院的課程，與伊萊莎在蘇格蘭伊斯特伍德的一間小公寓裡舉行結婚儀式。兩週後，伊萊莎與李麻在 1867 年 7 月 14 日搭乘格雷沙姆號從倫敦出發，於 11 月 18 日抵達香港。在前往福爾摩沙（今臺灣）以前，兩人先在廈門學習語言，而李麻這個漢名，即是在此的漢文老師為其所取。

1867.12.19 After nearly 140 days of travelling, Eliza and Rev. Hugh Ritchie arrived at Takao, Formosa (now Kaohsiung, Taiwan). Dr James L. Maxwell set up the first Presbyterian Church in Taiwan, and Eliza started a regular bible study class to teach the women and children how to read and write Pe̍h-ōe-Jī. Eliza also started the first Sunday school and women's fellowship group in Taiwan.

It-pat liȯk-chhit nî chȧp-jī goe̍h chȧp-káu (1867.12.19), keng-kòe chit-pah sì-chȧp kang ê lō͘-tô͘, nn̄g ê lâng lâi kàu Ta-káu, Formosa (chit-má Tâi-oân Ko-hiông). Má-ngá-kok (James L. Maxwell) i-su tiàm Tâi-oân sêng-li̍p tē-it ê Tiú͘-ló Kàu-hōe. I-lâi-sa khai-sí kà hū-jîn-lâng kap gín-á thȧk siá Pe̍h-ōe-jī. Tông-sî khai-pān thâu-chit-ê chú-ji̍t-o̍h kap hū-lú thoân-khè.

1867 年 12 月 19 日 在將近 140 天的旅行之後，伊萊莎與李麻牧師抵達福爾摩沙打狗（今臺灣高雄市）。馬雅各醫師在今臺灣高雄旗後街上，成立了第一個長老教會（旗後長老教會），伊萊莎也自此開始教授婦女以及孩童讀寫白話字，並且成立了臺灣第一個主日學以及婦女查經及敬拜團契，是臺灣歷史上第一個專以教導女性為主而開設的「學校」。

1868.5.16 William Laughton Ritchie was born in Takao.
1869.11.10 Robert Hugh Ritchie was born in Takao. Reverend Ritchie and Dr Maxwell established the first missionary training course (the students' class) in Takao. The class trained local missionaries and sent them to extend the missionary stations in southern Taiwan. Later in 1876, the class moved to TaiwanFoo (now Tainan, Taiwan) and became the Tainan Theological College and Seminary. It was the first Western college in Taiwan.

It-pat liȯk-pat nî gō͘ goe̍h chȧp-la̍k (1868.5.16), Ui-liâm Lau-tǹg Lí-kî (William Laughton Ritchie) tī Ta-káu chhut-sì. It-pat liȯk-kiú nî chȧp-it-goe̍h chhe chȧp (1869.11.10), Lóa-boh Hiu Lí-kî (Robert Hugh Ritchie) tī Ta-káu chhut-sì. Lí-hiu bȯk-su kap Má-ngá-kok i-su khai-siat tē-it ê thoân-kàu-su ê pôe-hùn khò-têng. It-pat chhit-liȯk nî (1876), pôe-hùn khò-têng sóa khì Tâi-oân-hú (chit-má ê Tâi-lâm), ián-piàn chò chit-má ê Tâi-lâm Sîn ha̍k-ī͘. Mā sī Tâi-oân tē-it keng se-iû͘ⁿ ha̍k-ī͘.

1868 年 5 月 16 日 李麻牧師與伊萊莎的大兒子出生於打狗，他們為了紀念和李麻情同父子的牧師與恩師，便將大兒子的名字取為「威廉・勞頓・理奇」。
1869 年 11 月 10 日 李麻牧師與伊萊莎的小兒子，羅伯特・

勞頓・理奇，出生於打狗。李麻牧師與馬雅各醫師於打狗成立了私塾，訓練當地人成為傳教師，並開始積極於南臺灣各地傳教。隨後因土地和治安等問題，於 1876 年，李麻建議將培訓傳教師的學校，搬遷至臺灣府（今臺灣臺南市），成為臺南神學院，這也是臺灣第一座西式書院。

1871 winter Reverend Hugh Ritchie's only sister, Sarah Ritchie, died in Glasgow. After Rev. Ritchie departed for Formosa, Sarah became a general servant in a cooper's house.

It-pat chhit-it nî (1871) tang-thiⁿ, Lí-hiu bȯk-su ûi-it ê sió-moāi Sa-lá Lí-kî (Sarah Ritchie) tī Keh-la-sū-koh óng-seng. Sa-lá tī in hiaⁿ-ko lī-khui í-āu, tio̍h tī Khú-poh (Cooper) chit keng chhù lāi chò sú-iōng-lâng.

1871 年冬季李麻牧師唯一的妹妹，莎拉・理奇，因病逝世於格拉斯哥。李麻牧師出發來臺後，莎拉為能謀生，便到庫克家族的銅器行當長工，因長期勞動，營養不佳，重病後不久便離開人世。

1872.1.1–3.7. At the end of 1871, near Christmas time, Canadian Rev. George Leslie Mackay arrived in Takao (now Kaohsiung, Taiwan). He visited the southern Taiwan missionary stations with Rev. Hugh Ritchie. During his stay with Rev. Ritchie, Eliza taught him how to speak, read and write in Pe̍h-ōe-Jī so he could use Taiwanese to start his missionary work in Northern Taiwan.

It-pat chhit-it nî (1871) nî-té, Ka-ná-tāi (Canada) ê Má-kai bȯk-su (George Leslie Mackay) lâi-kàu Ta-káu (chit-má ê Tâi-oân Ko-hiông). I kap Lí-hiu bȯk-su chò-hóe cham-koan Tâi-oân lâm-pō͘ ê thoân-kàu chām. Tī chit tōaⁿ sî-kan, I-lâi-sa kà Má-kai bȯk-su án-chóaⁿ siá Pe̍h-ōe-jī, kóng Tâi-oân-ōe. Án-ne Má-kai bȯk-su tō ē-tàng ēng Tâi-oân-ōe tiàm Tâi-oân ê pak-pō͘ thoân-kàu.

1872 年 1 月 1 日至 3 月 7 日 1871 年聖誕節前夕加拿大籍馬偕牧師抵達打狗，並拜訪了李麻牧師。在他拜訪期間，伊萊莎親自密集指導教授馬偕牧師聽讀寫白話字，以便馬偕牧師日後能以臺語在北臺灣傳教。

1872.3.7. With Rev. Hugh Ritchie's help, Rev. George Leslie Mackay sailed to Northern Taiwan via ship; they picked up Dr Matthew Dickson from TaiwanFoo. Two days later, the three arrived in Tamsui (now Tamsui, Taipei). With Rev. Ritchie's help, Rev. George Leslie Mackay set up the first

It-pat chhit-jī-nî saⁿ goéh chhe chhit (1872.3.7), Lí-hiu bók-su kap Má-kai bók-su ùi Ta-káu chē chûn, tī Tâi-lâm-hú chiap tióh Tek-má-thài i-su (Dr Matthew Dickson) liáu-āu, in chò-hóe óng pak, khì Tām-chúi. Tī Lí-hiu bók-su ê pang-chān chi hā, Má-kai bók-su tī Tâi-oân pak-pō sêng-lip tē-it keng Tiúⁿ-ló Kàu-hōe.

1872 年 3 月 7 日李麻牧師協同馬偕牧師自打狗港出發，搭船北上到臺灣府迎接德馬太醫師上船，兩天後三人一同抵達淡水（今新北市淡水）。李麻牧師協助馬偕牧師，在淡水成立了第一個北臺灣基督教長老教會後，即與德馬太醫師及馬偕牧師三人，一同步行南下，行至大甲溪時，李麻牧師與馬偕牧師協議：「日後以大甲溪為界，以北交由馬偕牧師所屬的加拿大長老教會經營牧會，以南則交由李麻牧師所屬的英國長老教會經營牧會。」

1873.6.23 Robert Hugh Ritchie died in Takao. About one year later, Eliza's eldest son, William L. Ritchie, developed similar symptoms that killed his younger brother..

It-pat chhit-sam nî lák goéh jī-saⁿ (1873.6.23), Lóa-boh Hiu Lí-kî tī Tá-káu óng-seng. Tāi-iok chit tang āu, Ui-liâm Lí-kî (William L. Ritchie) mā tióh-tióh kap in sió-tī kāng-khoán ê pēⁿ-chèng.

1873 年 6 月 23 日李麻牧師與伊萊莎的小兒子羅伯特・勞頓・理奇逝世於打狗。一年後，長子威廉・勞頓・理奇罹患類似他的弟弟的症狀。

1874.6.6 Eliza decided to bring William back to the U.K. and visit her family. Sadly, six days later, on 12th June, while Eliza was with William on a ship back to the U.K., her aunt – the only close family – Susanna Cooke, died in Clapham Surrey, England. After sending the family home, Rev. Hugh Ritchie applied for his first and only leave to return to the U.K. A year later, he joined his family in the U.K. From 1875 to 1877, Eliza and Rev. Ritchie shortly remained in the U.K. with their son, William, as a family.

It-pat chhit-sù nî lák goéh chhe lák (1874.6.6), I-lâi-sa koat-tēng chhōa Ui-liâm tńg-khì Eng-kok sīn-sòa khòaⁿ chhù-lāi lâng. Chin ûi-hām, I-lâi-sa ê a-ko͘, Su-san-nah Khò͘-khoh (Susanna Cooke) tī in chiuⁿ chûn liáu-āu tē lák kang ê sî, tī Eng-kok ê Khu-lá-phuh-hàm Só-lih (Clapham Surrey) kòe-sin. Sàng bó͘-kiáⁿ tńg-khì í-āu, Lí-hiu

bók-su chiah thâu-chit-pái kā kàu-hōe chhéng-kà tńg-khì Eng-kok thàm-chhin. Chit-tang āu, tùi it-pat chhit-ngó͘ nî kàu it-pat chhit-chhit nî (1875-1877) chi-kan, I-lâi-sa kap Lí-hiu bók-su tī Eng-kok pôe-phōaⁿ Ui-liâm, chit-ke-hóe-á thoân-îⁿ chiah té-té nn̄g-tang ê sî-kan.

1874 年 6 月 6 日伊萊莎帶威廉返回聯合王國，六天後 6 月 12 日當伊萊莎乘船回聯合王國時，伊萊莎的姑媽蘇珊娜・庫克逝世於英格蘭的克拉珀姆的蘇里。送走家人返英後不久，李麻牧師才第一次也是唯一一次申請返回聯合王國。一年以後，李麻牧師與家人在英重逢。1875 年到 1877 年，李麻牧師短暫回聯合王國兩年與家人同聚。

1876 The Tainan Theological College and Seminary was established in Tainanfoo. The Reverend Dr Thomas Barclay was the school's first principal.

It-pat chhit-liók nî (1876), Tâi-lâm Sîn Hák-īⁿ tī Tâi-lâm-hú sêng-lip.
Tē-it jîm ê hāu-tiúⁿ sī Pa-Khek-lé bók-su (Reverend Dr Thomas Barclay).

1876 年 在李麻牧師的建議和奔走下，臺南神學院成立於臺灣府，並聘巴克禮牧師為第一任校長。

1877 Late in the year, Eliza and Rev. Ritchie arranged with their friends, Mr Barbour and Mrs Simpson, for William to start boarding school in Edinburgh and Glasgow, and then they returned to TaiwanFoo, Formosa. Eliza began to think of setting up a school only for girls, and one of the entry requirements would be: for girls without foot-binding only. She wrote to the England Presbyterian Church, which supported this idea.

It-pat chhit-chhit nî (1877) nî-té, I-lâi-sa hâm Lí-hiu bók-su kap in ê pêng-iú Bá-boh sian-siⁿ (Mr. Barbour), Sím-phó͘h-sàn thài-thài (Mrs. Simpson) an-pâi Ui-liâm khai-sí tī Ài-teng-pó kap Keh-la-sū-koh tòa-hāu thák-chheh. Jiân-āu in tō sûi tńg-lâi Formosa, Tâi-lâm-hú. I-lâi-sa siūⁿ beh khai-siat chit keng hák-hāu, choan-bûn siu bô pák-kha ê cha-bó͘ gín-á. I siá phoe hō͘ Eng-kek-lân (England) Tiúⁿ-ló Kàu-hōe. I chit-ê siūⁿ-hoat sûi tit-tióh chi-chhî.

1877 年末 伊萊莎及李麻牧師與友人巴伯先生和辛普森夫人的安排下，讓大兒子威廉在愛丁堡與格拉斯哥就讀寄宿學校，隨後伊萊莎便與李麻牧師返回福爾摩沙臺灣府。此時伊萊莎便計畫在臺灣府開設臺灣第一間女子學校（今臺南市長榮女中），並規定其唯一入學條件是「不得纏足」，這個想法受到英格蘭長老教會的大力支持，並開始為這計畫募款。

1879.9.29 Rev. Ritchie died of malaria at the age of 39 in TaiwanFoo.

It-pat chhit-kiú nî káu goe̍h jī-cha̍p-káu (1879.9.29), Lí-hiu bo̍k-su tī Tâi-lâm-hú in-ūi ma-lá-lí-á kòe-sin. Hit nî i kan-nā 39 hòe.

1879 年 9 月 29 日李麻牧師因瘧疾再度復發，逝世於臺灣府，享年 39 歲。

1879.9.30 The funeral took place in Takao in the evening. Many students and followers of Rev. Ritchie came to say goodbye. Rev. Ritchie was laid to rest in Takow Foreign Cemetery right next to his son, Robert. Rev. Barclay and Rev. Campbell urged Eliza to continue Rev. Ritchie's work, as she was the only one who had travelled around and contributed to his job.

It-pat chhit-kiú nî káu goe̍h saⁿ-cha̍p (1879.9.30), kò-pia̍t-sek tī mê-hng-sî ê Ta-káu kí-pān. Chin chē Lí-hiu bo̍k-su ê ha̍k-seng kap sìn-tô͘ lóng lâi chham-ka, kap i sio-sî. I tâi tī Tá-káu gōa-kok lâng kong-bōng, tī in hāu-seⁿ Lóa-boh piⁿ-a. Pa-Khek-lé bo̍k-su hâm Kam Ûi-lîm bo̍k-su lóng hi-bāng I-lâi-sa ē-sái kè-sio̍k Lí-hiu bo̍k-su ê khang-khòe. In-ūi kan-nā i sī ûi-it chhi̍t ê, ū kap Lí-hiu bo̍k-su kiâⁿ-ta̍h kòe ê lâng. Mā chiah ū hoat-tō͘ ūi thoân-kàu ê khang-khòe ū kòng-hiàn.

1879 年 9 月 30 日李麻牧師的喪禮於傍晚在打狗舉行，有許多李麻牧師的朋友與信徒參與。隨後安葬於打狗外國人公墓，在小兒子羅伯特·勞頓·理奇旁邊。巴克禮牧師和甘為霖牧師此時便強力推薦伊萊莎繼續李麻牧師的工作，因為她是唯一能扛起李麻牧師的工作，並也是為了設立女子學校而四處奔波並做出貢獻的人。

1880.2.26 Eliza was appointed the first lady missionary to Formosa by the Women's Missionary Association (WMA). Afterwards, she donated £300 to start the first girls' school in Taiwan. Unfortunately, due to old age and the harsh weather in Taiwan, in November, Eliza suffered from severe malaria. She returned to England and stayed in Chedburgh, Suffolk, England. After six months of rest back home, she returned to Formosa in late 1881.

It-pat pat-khòng nî jī goe̍h jī-cha̍p la̍k (1880.2.26), I-lâi-sa hō͘ Hū-lú Thoân-kàu Hia̍p-hōe jīm-bēng chò Tâi-oân tē-it ūi hū-lú thoân-kàu-su. Bóe-chhiú i koan saⁿ-pah Eng-pōng (£300) chhòng-pān Tâi-oân tē-it keng lú-chú ha̍k-hāu. M̄-koh chin phah-sńg, i ū hòe ah, Tâi-oân ê thiⁿ-khì piàn-hòa koh chin tōa, cha̍p-it (11)--goe̍h ê sî, i soah khì tio̍h-tio̍h giâm-tiōng ê ma-lá-lí-á. I tńg-hì Eng-kok, tī Chhek-bo-goh, Sá-hui-khoh (Chedburgh, Suffolk) chēng-ióng pòaⁿ tang liáu-āu, tī it-pat pat- it (1881) nî-té tńg-lâi Formosa.

1880 年 2 月 26 日伊萊莎受女宣道會封為福爾摩沙第一位女宣教師，她同時捐出畢生積蓄 300 英鎊，正式宣布在臺灣府成立臺灣第一間女子學校。不幸的，由於伊萊莎不敵年邁的身體以及臺灣惡劣的氣候，1880 年 11 月，伊萊莎再次感染瘧疾，她只能暫時返回英格蘭，並於薩福克郡切德堡內做短暫的休養。但因心裡掛念著為臺灣女子興學的想法，因此方返英六個月不久，便匆匆於 1881 年中返回福爾摩沙。

1881.12. 19 Eliza returned to Formosa, and she immediately started to visit the stations in the mountains and remote areas. Moreover, she pushed harder to set up the girls' school with a focus on teaching.

It-pat pat-it nî cha̍p-jī goe̍h cha̍p káu (1881.12.19), I-lâi-sa tńg-lâi Formosa, i sûi khai-sí sûn soaⁿ-khu, kap khah hn̄g-lō͘ ê soan-kàu-chām. Jî-chhiáⁿ i koh lú phah-piàⁿ, siat-li̍p lú-chú ha̍k-hāu kap hū-lú thoân-khè ê sū-kang.

1881 年 12 月 19 日伊萊莎回到福爾摩沙，便開始多次徒步在臺灣山區以及偏鄉服務。她同時更加賣力的推廣設立女子學校以及白話字教學工作。

1884.2 Eliza's health suddenly got worse, and she finally decided to retire from the position.
1884.6.13 Eliza departed from Formosa for Scotland, where she lived the rest of her life with her elder son William Laughton Ritchie.
1887.2.14 Tainan Sin-lâu Girls' School officially opened its door in Tainan. Miss Joan Stuart and Miss Annie E. Bulter were the first headteachers to the school.
1902.2.21 Eliza died in Glasgow at the age of 75.

It-pat pat-sù nî jī--goe̍h (1884.2), I-lâi-sa ê kiān-khong chōng-hóng hiông-hiông chhî--lo̍h-khì. I kó͘-put-chiong chiah koat-tēng beh thè-hiu.
It-pat pat-sù nî la̍k goe̍h cha̍p-saⁿ (1884.6.13),

I-lâi-sa lī-khui Formosa. Tńg-khì Sơ-kek-lân liáu-āu, i kap tōa-hàn hāu-seⁿ Ui-liâm Lau-tǹg Lí-kî tòa chò-hóe, tō-kòe i chòe-āu ê jîn-seng.

It-pat pat-chhit nî jī goe̍h cha̍p-sì, Tâi-lâm Sin-lâu lú-chú ha̍k-hāu chiàⁿ-sek tī Tai-lâm khai-o̍h. Chu iok-an kơ-niû, Bûn-an kơ-niû sī thâu chi̍t jīm ê hāu-tiúⁿ.

It-kiú khòng-jī nî jī goe̍h jī it (1884.2.21), I-lâi-sa oa̍h kàu 75 hòe, tī Keh-la-sū-koh kòe-sin.

1884 年 2 月伊萊莎的健康狀況每下愈況，亮起紅燈，她決定自此退休。

1884 年 6 月 13 日伊萊莎自福爾摩沙返回蘇格蘭，她與長子威廉‧勞頓‧理奇在格拉斯哥的小公寓內渡過餘生。

1887 年 2 月 14 日『台南新樓女學校』正式在台南開門招生，朱約安姑娘和文安姑娘，為女校的首任校長。

1902 年 2 月 21 日伊萊莎逝世於格拉斯哥，享年 75 歲。

伊萊莎牧師娘的故事

Eliza
Caroline Cooke

作者　　　 Jenny Jamieson
繪圖　　　 Boris Lee
出版總監　 林文欽
出版發行　 前衛出版社
地址　　　 10468 台北市中山區農安街 153 號 4 樓之 3
電話　　　 02-2586-5708 傳真：02-2586-3758
郵撥帳號　 05625551
Email　 a4791@ms15.hinet.net
Web　　 www.avanguard.com.tw

總經銷　　 紅螞蟻圖書有限公司
地址　　　 11494 台北市內湖區舊宗路二段 121 巷 19 號
電話　　　 02-2795-3656 傳真：02-2795-4100

Author
Jenny Jamieson

Taiwanese Consultant
Tân Kim-hoa

Taiwanese P.O.J Translator
Ling-I Jessica Su (Sơ Lêng-gî)

Taiwanese Proofread
Ngô͘ Ka-bêng (Hê-bí)

Mandarin Translator
Robert R Redman (周長志)

Illustrator
Boris Lee (Lí Sîn-hô)

Design & layout
Vank Kang

出版日期　2022 年 11 月 初版一刷

售價 300 元
版權所有 · 翻印必究
©Avanguard Publishing House 2022
Printed in Taiwan
ISBN　9786267076453

About The Author

Jenny Jamieson (Tân Tin-nî) a Taiwanese Scotti[sh] born in Taiwan and now based in Scotland. S[he] loves travelling, Taiwanese/Scottish cultures, a[nd] the histories. Being a female Presbyterian Christia[n] she hopes the stories of those Scottish wom[en] missionaries who left Scotland for Taiwan (since [the] late 19th century) may encourage many to chase th[eir] dreams bravely, not worrying about their genders [or] sexual orientation.

Thanks to my family and friends, especially to t[he] Taiwanese folk song singer Giâm Éng-lêng (嚴詠[能] and his musical band TakaoRun (Tá-káu Loān-k[o] thoân, 打狗亂歌團). With their support, I can face t[he] challenges ahead and make a wee contribution to t[he] communities.

Thank God! (Kám-siā sîn!)
All praise and glory to the Lord! (It-chhè o-ló k[àng] êng-iāu lóng kui hō chú!)

—Jenny Jamieson (Tân Tin-[nî])

國家圖書館出版品預行編目 (CIP) 資料

伊萊莎牧師娘的故事/Jenny Jamieson作；Boris Lee繪圖
. ——初版.—— 譯自：Eliza Caroline Cooke.
臺北市：前衛出版社, 2022.11 ——面；公分——
ISBN 978-626-7076-45-3(平裝) 中台英對照

1.CST: 庫克(Cooke, Eliza Caroline) 2.CST: 傳記
3.CST: 基督教傳記 4.CST: 通俗作品
249.941　　　　　　　　　　　　111009227

Eliza was born in 1828 in Cape of Good Hope, South Africa, and was named after the famous feminist and abolitionist author Eliza Fenwick. In 1867, she arrived in Taiwan and started to teach the women and children how to read and write Pėh-ōe-Jī. She also initiated the plan to set up the first girls' school in Taiwan. In 1884, Eliza left her beloved Taiwan. Her significant contribution helped and changed Taiwanese women's lives forever.

ISBN978-626-7076-45-3

9 786267 076453   00300